中国科学院院士、国家自然科学奖获得者 张景中 领衔创作

天梦奇旅 第一卷

小学数学实验漫画版

张景中　张 矩　黄子睿 / 著

科学普及出版社
· 北 京 ·

图书在版编目（CIP）数据

天梦奇旅．第一卷／张景中，张矩，黄子睿著．—北京：科学普及出版社，2017.1

（小学数学实验：漫画版）

ISBN 978-7-110-09344-3

Ⅰ．①天… Ⅱ．①张… ②张… ③黄… Ⅲ．①小学数学课－教学参考资料 Ⅳ．①G624.503

中国版本图书馆 CIP 数据核字（2016）第 003798 号

策划编辑：杨虚杰
责任编辑：汪晓雅
装帧设计：犀烛书局
责任校对：杨京华
责任印刷：马宇晨

出　　版：科学普及出版社
发　　行：中国科学技术出版社发行部
地　　址：北京市海淀区中关村南大街 16 号
邮　　编：100081
发行电话：010-63583170
传　　真：010-63581271
网　　址：http://cspbooks.com.cn

开　　本：787mm×1092mm 1/32
字　　数：100 千字
印　　张：5.625
版　　次：2017 年 1 月第 1 版
印　　次：2017 年 1 月第 1 次印刷
印　　刷：北京科信印刷有限公司

书　　号：ISBN 978-7-110-09344-3 / G · 3982
定　　价：19.80 元

关于作者的那些事

张景中爷爷年轻的时候喜欢写诗，也喜欢做数学题。后来题越来越难，20 年前题就难到特别不好做的时候了，张爷爷就成了中国科学院院士。可是张爷爷还喜欢写书给小朋友看，比如《数学传奇》《漫话数学》《数学游戏的故事》《少年数学实验》。

张矩叔叔小时候做不好张爷爷（那个时候叫张叔叔）出的题，所以到美国去念了计算机科学的博士学位。现在在中国科学院重庆院守着一万多个核的超级计算机（反正就是很厉害）做天气预报跟基因分析计算的时候补做数学题。张矩叔叔特别喜欢听人家讲故事。

黄子睿姐姐小时候喜欢跳舞、喜欢听故事、喜欢讲故事、喜欢过家家。现在长大了学会了编故事，还喜欢找其他哥哥姐姐一起编故事。

葛良叔叔小时候没有上过课外美术班，自己就喜欢画画。后来长大了就给小朋友做动画片，做过《熊猫晶晶》《洛克王国》的原画指导，还制作了《熊小米》给特别小的孩子看。现在领着好多哥哥姐姐给大家做漫画。

关于内容

慧之元神千百年间都附身在有灵性的物体身上，回答主人的问题。最近风华小学三年级懒癌学生夏小梦的生活可不平静：家里8个月大的弟弟突然开口叫他“主人”；新来的数学老师帅气又神秘；还有学校后山古堡，究竟藏着什么？

夏小梦在弟弟和朋友的帮助陪伴下，不仅在探险中提高了数学成绩，还学会了爱与责任。

序

《少年数学实验》完成以后，张景中院士一度雄心勃勃着手准备一本《小学数学实验》，可惜因事务繁冗未能一鼓作气完成。张矩看到已完成部分，虽然按张景中既有著作风格不够独立成书，然而参照国外数学漫画的形式，足够出版五六本小读物了。张景中从事基础教育科普工作30余年，深感青年人的参与对于科普工作十分珍贵与重要，探索漫画科普创作之路这一理念也得到了张院士的积极支持。因此，黄子睿在重庆邮电大学征召了十几位爱好写作的本科大学生，绝大部分是理科学生。他们把故事编得可读性强，努力揣摩小弟弟、小妹妹的兴趣所在。葛良从事动漫工作多年，近年涉足幼教动漫，对高年级教育动漫开发的挑战有深刻理解。托国家近年大力发展动漫产业的福，葛良得以找到一批年轻漫画工作者参与我们的工作。作为创作方式的一个实验，我们尽可能在每个部分体现多名写作人员与多名漫画创作人员的合作。筚路蓝缕，举步不易，然终成果实，不惧尚有瑕疵，亦呈现给读者，以求指正。企望团队从此出发，日夜磨炼，修正不足，不断成熟。

张 矩

2016 年 夏

目录

主要人物介绍

夏小梦：

本书主角，小学三年级学生，夏小天的姐姐，拥有酷酷的性格。

易佰分：

小梦班上的学霸，胜负心极强，经常引起他人的反感。

布慧庞：

小梦的同学，吃货一枚，小梦的好朋友，为人憨厚，懂事善良。

姚爱国：

小梦班的班长，一个中二病的热血直男。

美琪：

小梦班的班花，家庭富裕，受班上男生欢迎，爱耍小性子，非常自恋。

李斯特：

小梦学校的数学教授，头脑灵活，学识丰富，外表俊朗，为人自信，受全校师生喜爱。

迪卡卡：

小梦学校校长，原是全球排名第一的拉弗儿大学的数学系高级教授，为人睿智低调。

张玲：

小梦班班主任，职业女性，循规蹈矩，服从上级爱护学生。有更年期轻微症状，易被激怒。

夏小天：

夏小梦的弟弟，八个月大。外表看似呆萌，实则是 IQ 超过 200 的天才宝宝，经常黏着姐姐夏小梦。

楔子

河出图，洛出书，圣人则之。

话说上古时代，混沌初开。

天地本来是黑暗混沌的一团，好像一个大鸡蛋，盘古就孕育在其中。

过了一万八千年，突然山崩地裂一声巨响，盘古诞生了！
他手托着天，脚踏着地。天每天升高一丈，地每天加厚一丈。
盘古使出了毕生的力量。

啊！
经过一万八千多年的努力，盘古变成一位顶天立地的巨人，而天空也升得高不可及，大地也变得厚实无比。

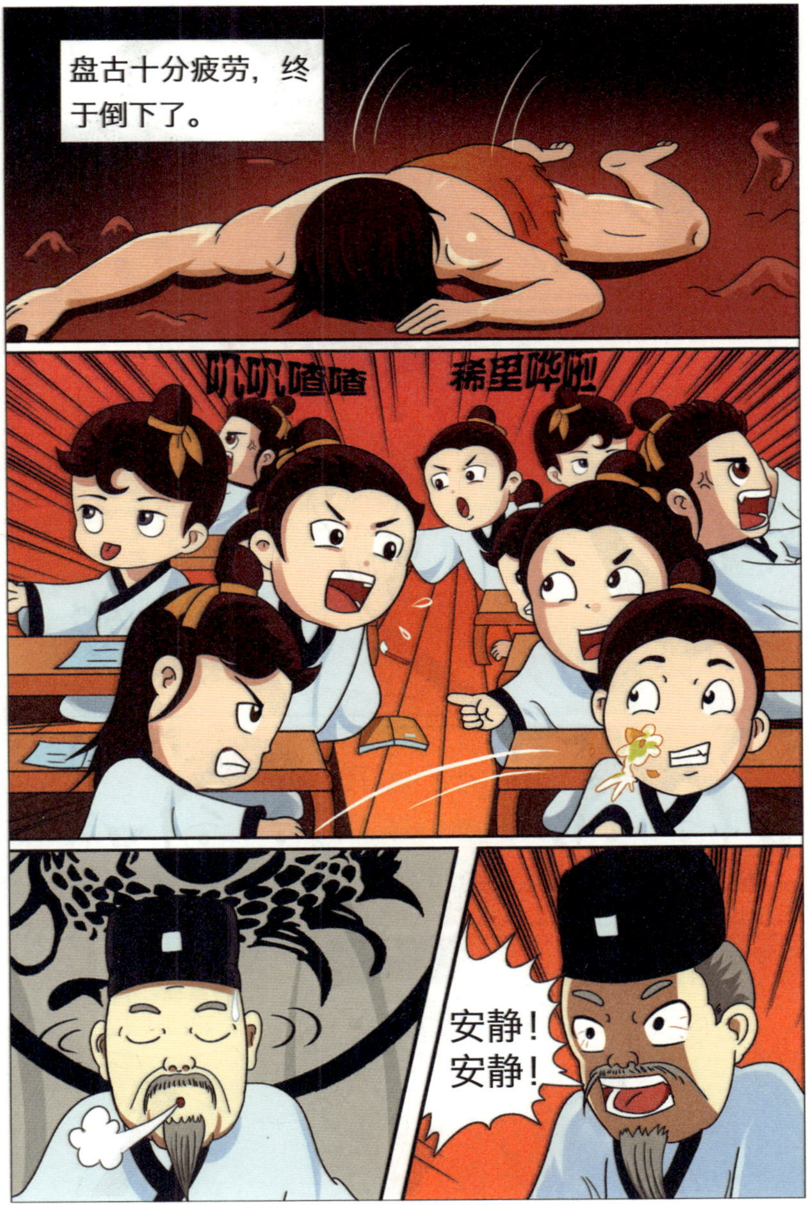
盘古十分疲劳，终于倒下了。
叽叽喳喳
稀里哗啦
安静！安静！

!?
智慧！智慧！
啪
严肃！认真！
智慧，在天地之外。
是盘古古神给予人类的恩典，世世代代，轮回转生。

盘古的身体中出
现黄、蓝两束光。

洛书河图，也就是慧之元神的图腾，就是开启古神智慧的钥匙。
两者合二为一即能获得无上的智慧和权能！
河图洛书千百年间都附身在有灵性的物体身上，回答它的主人提出的任何问题。
秦始皇得知六国诸侯无斗志，忽必烈得知欧亚诸国虚实，等等，都曾在一段时间内拥有此物才得以战无不胜、攻无不克。

这就是神奇的
河图洛书!
ZZZZZ

夏小梦！
ZZZZZ
夏小梦！
嘿嘿！
蘑菇烤乳猪！
!!

哈哈哈哈！
哈哈哈哈！
哈哈哈哈！
哈哈哈哈！
什么情况？
到走廊站着去清醒清醒！

第一话 龙卷风

爸爸，冰淇淋！

你去给我买！
快去！
我要抹茶味的哟！
知道了。

你这个小祖宗！

呼
呼呼

轰！
!!

咚！
噗！
哇哇哇哇哇！

好了，小天
不哭，乖。
呜呜呜……
哈哈哈哈！
哼！
洛河滨江路发生局部小型龙卷风，部分市民受影响，没有人员伤亡。
现在请气象研究所高所长为大家介绍晴天突然出现小型龙卷风的原因。

第二话 获得新生

鬼啊！
大呼小叫什么啊？
在哪里！鬼在哪里！

不见了？
呜哇！
看你把弟弟吵醒了！

啪！
刚才有一只金色的怪物，真的！
你不是把它吓跑了嘛！乖，回去睡觉吧！
走了。
啪
啊！

嗒
这是?

?
01 02 03
初四 初五 初六
07 08 09 10
初十 白露 十二 教师节
14 15 16 17
十七 十八 十九 二十
21 22 23 24
廿四 廿五 秋分 廿七
01 02 03
初四 初五 初六
07 08 09 10
初十 白露 十二 教师节
14 15 16 17
十七 十八 十九 二十
21 22 23 24
廿四 廿五 秋分 廿七
!!
会动！

唰！
唰！
哇！
置换数字变化过程
01 02 03
08 09 10
15 16 17
02 03 10
01 09 17
08 15 16
16 03 08
01 09 17
10 15 02
奇迹发生……

我智慧的主人啊，请接受慧之元神的赠礼，神圣的盘古之意啊，赐予我无所不知的力量吧！
主人，请问您有何吩咐？
哇！
你……
你会说话！

几天前……
噗！
唰！
唰！

哦?
嘿!

还不错，
这身体萌萌的。
嘿！
哈哈哈哈！
接下来就有
意思了哦！
恢复了平静

第三话 手机游戏

几天后……
ZZZZZ

?
距离下课5分钟，
开启抢厕所模式。
哎呀！哎呀！
肚子痛！
晚7点
组队打怪

丁零零！
放学了！
耶！
风华小学
ZZZZZZ
校长再见。

哦？
放学了？
在山的那边，
海的那边……

♪♫
喂，哭一个。
BLA
OMG
BLA
?

有一群蓝精灵……
哎呀！
哇哇哇！
哇！
嫦姐！小祖宗又哭啦！

慧慧啊！

今天真乖，
不吵不闹的。
爷……爷爷，
奶奶呢？
哦。
嗯。
爷……爷爷，
报……报纸
好看吗？

啊！手机响了，
我去接一下！
哦？
另一边的
小梦家……

呼呼！
啪

呼
夏小梦！
啪
没得玩儿了。

另一边的布慧庞家……
成败在此一举！
喵——
我没有偷手机啊，我没有……

我做到了！小梦！我没有辜负你对我的期望！

开机！
13568342186
为什么是老人机啊？！
13568342186

老婆，听说你表妹搬过来啦？
是的。
有空带小梦去跟她家儿子好好学习学习吧！
看看人家。
哼！

第四话
到易佰分家做客

易佰分的家
叮～咚

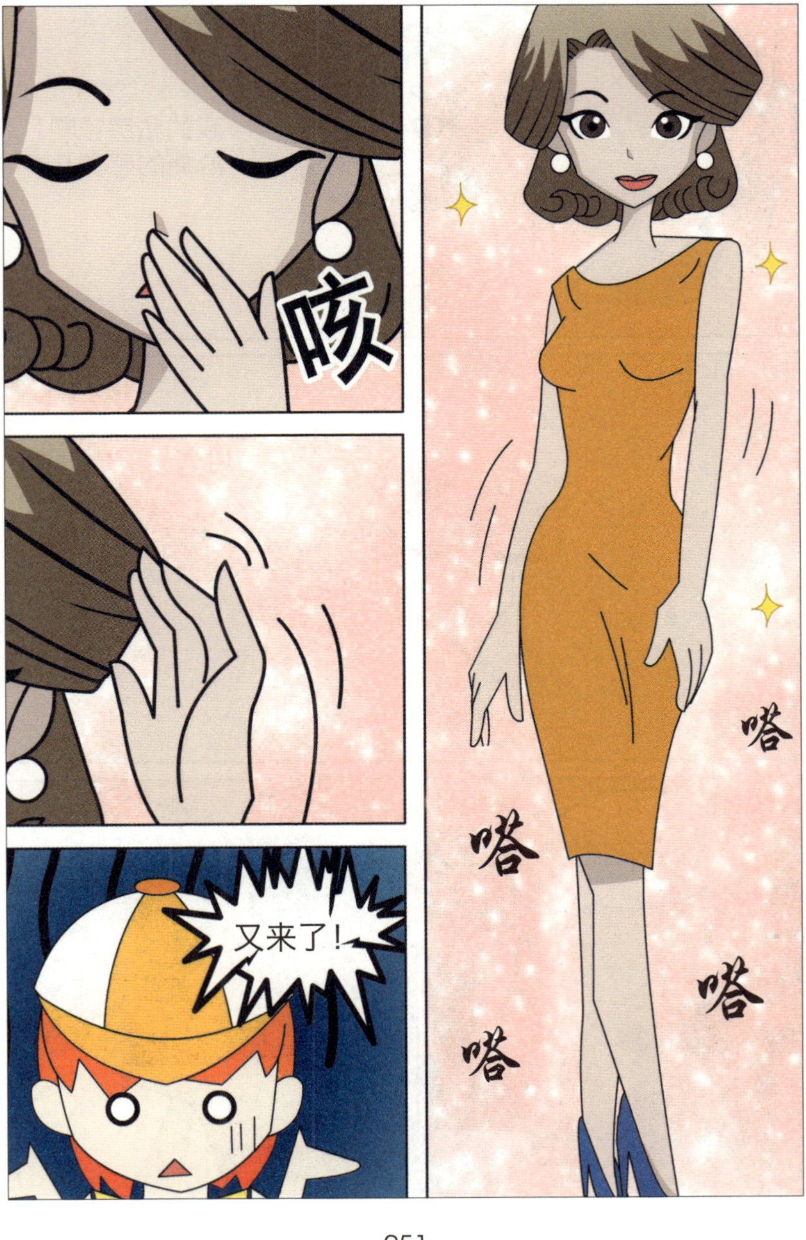
咳
又来了！
嗒
嗒
嗒
嗒

我的私房钱啊！
心痛的感觉！
欢迎光临！

这些都是从国外运过来的高级货，姐姐不常见吧！
多尝尝吧！

0
100
100
好热呀！

0
100
100
0
0
100

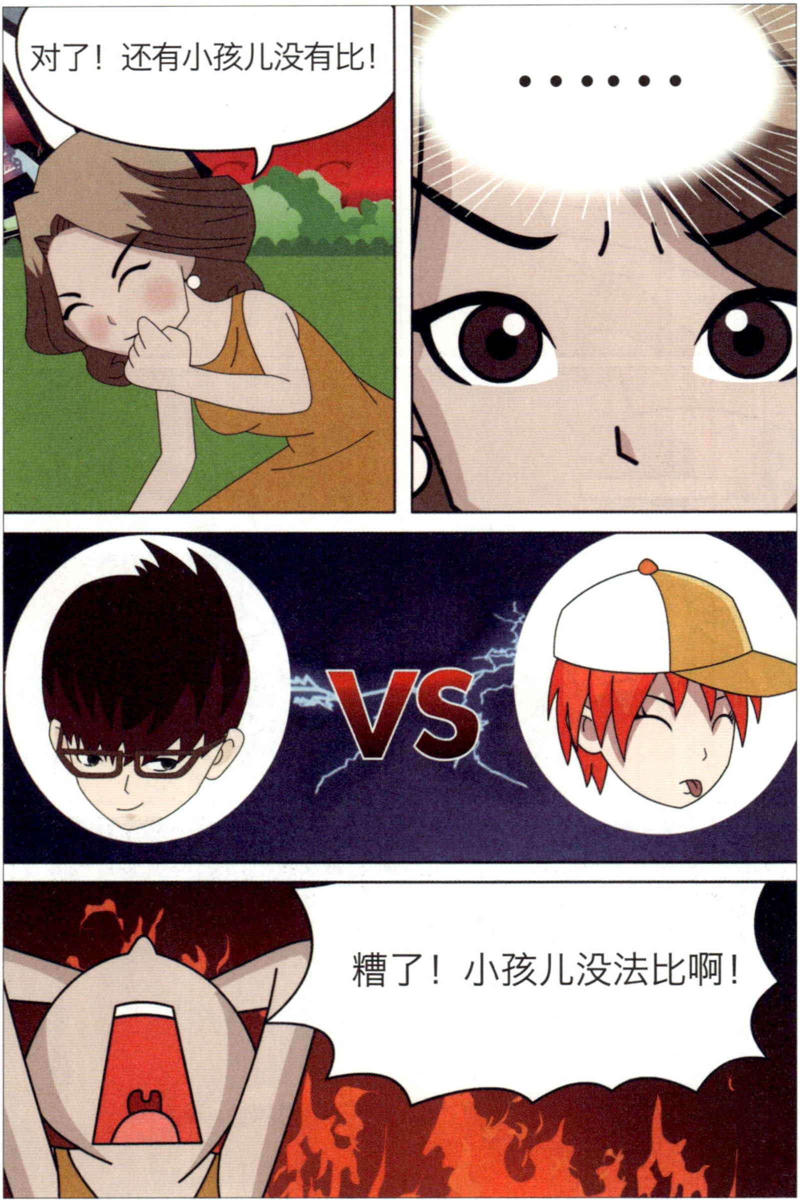
对了！还有小孩儿没有比！
……
VS
糟了！小孩儿没法比啊！

嘀
!
100
完胜

这时间我该
做奥数题了。
怪我咯。

这9个数字之和是81，排成幻方每条线上3个数加起来应当 是81÷3=27。1应当放到哪里呢？
请将1.2.3.8.9.10.15.16.17这9个数字排进九宫格中。满足横线、纵线、斜对角线之和都为27。
能不能在中心呢？如果1在中心，那么上下左右斜着的每组数字之和都是26，9个数之和为26×4+1=105，超过了81。

请将1.2.3.8.9.10.15.16.17这9个数字排进九宫格中。满足横线、纵线、斜对角线之和都为27。
不行！
请将1.2.3.8.9.10.15.16.17这9个数字排进九宫格中。满足横线、纵线、斜对角线之和都为27。
1能不能在角上呢？如果1在左上角，第一行另外两数之和必须是26，第一列另外两数之和也是26，中心和右下角两数之和也是26，这7个数加起来是26×3+1=79，剩下两个数都比1大，这样9个数之和至少是84，超过了81。

请将1.2.3.8.9.10.15.16.17这9个数字排进九宫格中。满足横线、纵线、斜对角线之和都为27。
也不行。
……
啊啊啊！
请将1.2.3.8.9.10.15.16.17这9个数字排进九宫格中。满足横线、纵线、斜对角线之和都为27。
唰唰唰！
啊—！

哼，昨天就看见
你在做这道题。
你还看得出来！
哼！
……

……
好了，这是最后一步。
算得好快！
唰唰唰！
啊哈哈哈！
厉害！你是怎么做到的？
!!
我来告诉你。

将九宫格最外围的一圈数字逆时针转一格位置，然后把两个斜对角的数字互换，就可以了。
1 2 3
8 9 10
15 16 17
2 3 10
1 9 17
8 15 16
16 3 8
1 9 17
10 15 2
好厉害！
2 3 10
1 9 17
8 15 16
如果把 17 放在左边，9 在中心，至于 10 和 16，哪个在上哪个在下都一样，两个都在右边角上，这 5 个数定下来，另外 4 个数也就对号入座了。

哎，你的智商真感人。怎么考的100分的？
拜拜。
……
我是在做梦吧？

哇，小梦会做奥数题啦！
你太客气啦！
真是谢谢易佰分呢！

气氛好
诡异啊！
每次到易佰分
家妈妈就会挑
我的刺。
哼，你这小不点
还有点儿用处。

第五话 今天大人不在家

耶耶，嘟嘟，哦哦！
小梦，我和爸爸出去一下，你照顾好弟弟哟！

知道啦，你除了说
这个还能说什么？
啪
乖乖宝宝，加油哟！
不要想念妈咪！
哼！
好了，走吧。

哎，附体在婴儿身上真考验演技！我这几千年的老身板哟！
你还附体过什么？
毛绒玩具、铁皮青蛙、儿童皮鞋、手镯、镜子……太多了。
最伤脑筋的是19世纪时我附在了一袋盐上，被拿破仑捡到，帮助他统一欧洲，结果被他的夫人做菜时用掉了。

拿破仑蛋糕还
需要加盐吗?
……
……
大人不在家!
我可以开电视了!
遥控板 3 点钟方向放
在茶几左上角，频道
23，音量 15。

原来这是个窗户！
嗨，兄弟，你是力之元神的宿主吗？
我去卫生间。

哗哗哗
这是给我准备的游泳池还是三生轮回眼？
……

啊，好冷。
这难道是九天圣女的琉璃百宝盒?

哎呀呀！
你不是什么都知道吗？
抢镜刷刷存在感嘛！
轰
友情提示：爸爸妈妈两分钟后到家。

嘿哈！
嘿哈！
嘿哈！
小朋友们，欺骗大人是不对的哟！
咔
嗖
孩子们，我们回来啦！
嗷呜！

第六话

日历上的秘密（上）

左勾拳
右勾拳
VS
K·O
You lost
可恶呀！
喂，别撕
我日历啊！
蚩尤战神在
靠近我们！

战神蚩尤在古时将元气附于日历之上，每当斗转星移，日月轮回之时，
他就能够从日历之中吸收元气，重获新生。
我要找到规律，劫取他的元气。
战神蚩尤？你也在打游戏吗？
战神蚩尤有一个手下叫魍魉，他独来独往，心狠手辣。他偷走了伏羲圣人的秘之罗盘，能够定位元神附体和主人的位置。

随着时间的推移，它的定位越来越模糊，只能探测到大概的范围。
好可怕！他会对我怎么样？
在你解开我的封印以后，它就能探知我的位置了，所以我们要小心。
放心，有我在。
我们要找出藏在这里的规律。

我们比较对角两数之积:
01 初四 02 初五 08 白露 09 十二
07 初十 08 白露 14 十七 15 十八
11 十四 12 中秋节 18 廿一 19 廿二
09 十四 10 教师节 16 十九 17 二十
2×8−1×9=7！8×14−7×15 嘛！
不想算。
笨！8×14=7×14+14，7×15=7×14+7，前者多 7。
那 10×16−9×17 呢?

傻！
10×16=9×16+16，
9×17=9×16+9，
仍多 7。
都差 7？
告诉你一个公式吧！用 A 表示左上角的数，则右上角的数为 A+1，左下角的数为 A+7，右下角的数为 A+8。
A
A+1
07
08
14
15
A+7
A+8
也可以这样理解：两个矩形周长相等，一个长为 A+7，宽为 A+1；另一个长为 A+8，宽为 A，去数数有多少个小格子吧！
计算：(A+1)×(A+7)−A×(A+8)=
A×(A+7)+A+7−A×(A+7)−A=7。

这就是战神蚩尤的奥秘？太次了！
这只是开始。
有一次去救力之元神。
看到魍魉附体者尸体旁的羊皮卷日历上用血画出这样的图案。
几百年了，还清晰可见。
就是这些？

想想刚才的公式。
是！
(A+1)×(A+7)−A×(A+8)
=
A×(A+7)+A+7−A×(A+7)−A
=
7
计算：5×18−4×19=？
14×19−12×21=？
13×25−11×27=？
9×28−7×30=？
主人，该你了。
5×18−4×19=?
14×19−12×21=?
13×25−11×27=?
9×28−7×30=?
唰唰唰

10分钟后
我算出来了！是14、14、28、42。
太慢了！
这4个数字都是7的倍数，分别是2倍,4倍,6倍,和日历有什么关系呢?
14 28 42
7×2 7×4 7×6
哎?
你看，如果把数字放回到日历，然后用矩形框起来，那就分别被分割成了2个、4个、6个小方格了。
2个方格➡7×2
2个方格➡7×2
4个方格➡7×4
6个方格➡7×6

是啊，再试一试这块。
SUN MON TUE WED THU FRI SAT
01 02 03 04 05 06 07 08 09 10 11 12 13 14 15 16 18 19 20 21 22 26 27 28 29
嗯，确实，对角数乘积的差应当为 12×7=84。
具体算算：
9×26−5×30=234−150=84，
果然不错！

没有
反应？
和7有关，待我
激活这个日子。
我有更加
高级的伪
装术了！

第七话 日历上的秘密（下）

我好像知道蚩尤战神在哪里。
我的星象守护神是玄武。

战神蚩尤根据北方玄武七宿：斗、牛、女、虚、危、室、壁连线的交点寻觅我的位置。
魍魉也必须在其中一个星象对应的位置处藏身，才能不中断搜索。我可以推测出魍魉的大概位置。
女
虚
危
牛
壁
我要去找他。
刚做了那么多数学题，元气大伤，我要玩游戏治病。
咳咳！
好吧！
咳咳咳咳

那我现在
要哭了。
算你狠!
吱

校长办公室
你敢肯定是这里？
他来过这里。
等等！你看
是四阶幻方，魍魉所到之处，只要有日历在，就必然留下痕迹。

如果排成幻方，每行每列的和应当是 64，两条对角线上的和已经是 64 了。
LAKEPS
10
嗯，有进步！
现在如果将 11 与 18 对调，14 与 21 对调。
将11与18对调，
将14与21对调
将5与6对调，
将26与27对调
将5与6对调，
26与27对调，
28与4对调，
25与7对调，
就大功告成啦！
将28与4对调，
将25与7对调
让我来看看，
解开符文后能
不能发现什么？

!!
发现了什么？
糟糕！这是个陷阱，我们暴露行踪了。
快走！
慧之元神，我要找到你了喽！
嘿嘿嘿嘿嘿嘿

第八话 新来的数学老师

这是我们新来的教导主任李斯特老师，他同时也是我们班的数学老师。
大家欢迎！

大家好！
好帅！我突然发现自己
好喜欢数学！

叮
叮叮叮
4
这里有三道数独题，明天大家把答案交给我，完成最好的就可以当数学课代表。
嗡
嗡
嗡
嗡

7 9
8 1 5
2 3 6
4 3
1 5 7
6 2 9
3 4 8
7 6 1
9 8 2
数独，又名九宫格，是一种运用纸、笔进行演算的逻辑游戏。玩家需要根据9×9盘面上的已知数字，推理出所有剩余空格的数字，并满足每一行、每一列、每一个粗线宫内的数字均含1-9，不重复。
数独？九宫格？火锅！这格烫毛肚。

二年
嗒
嗒
哇！
好帅！
哇！
好帅！

这是新来的老师吗？
哇哦！好帅！
不知道教哪个班呢！
颜值高？我是大脑强好不好！

老师好！
王花花这厢有礼了，
你也可以叫我花儿，
芳龄 11，双鱼座。

喜欢鸡屁股和臭豆腐，
性格温柔。
爱好学习，除了语文、
数学、英语、政治、历
史、物理、化学、美术、
音乐、体育以外。
介绍完毕哟！

……
咳
咳
咳咳，同学，貌似刚才你把学校所有的科目都提到了。
这些都不重要。
哎哟。

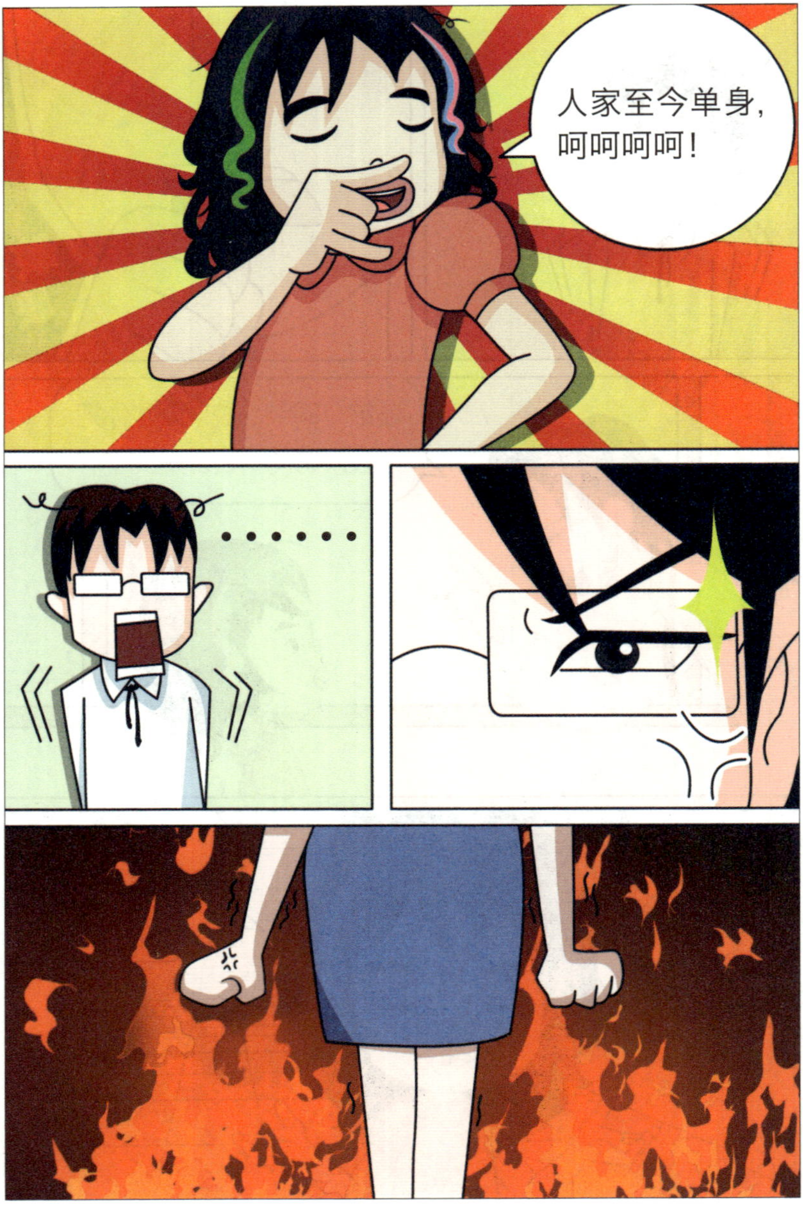
人家至今单身，
呵呵呵呵！
……

王花花同学！

学生应着装得体，提倡穿校服，不穿奇装异服，男生不留长发；女生不烫发，不化妆，不佩戴首饰，不穿高跟鞋。
要不要我来帮你剪头发？
不妙！

吓死宝宝啦！
你给我站住！

整理
对了，李老师，今天下午3点在行政楼召开教师大会！
……

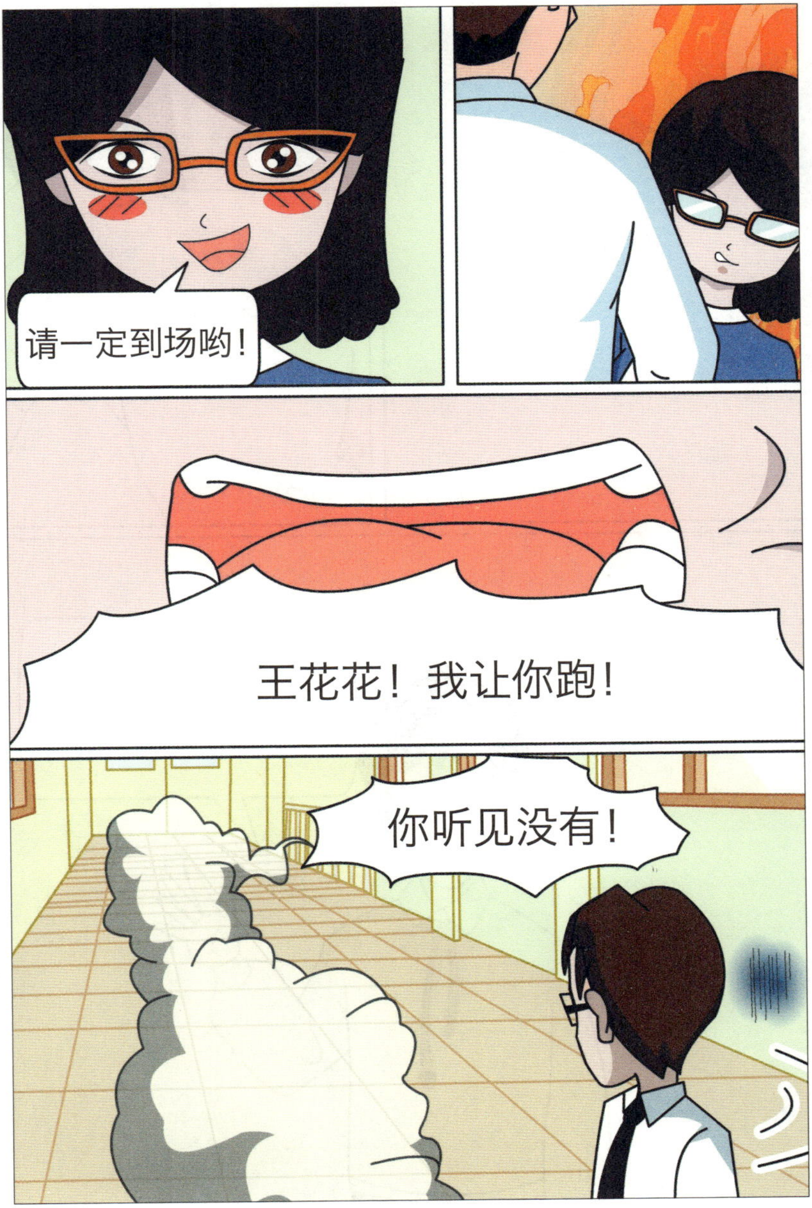
请一定到场哟！
王花花！我让你跑！
你听见没有！

呃！
好……
好的，张老师。

第九话 我要当课代表（上）

放学路上

美琪，周末到我家一起写作业吧，我家里有好多巧克力蛋糕。

……

写作业多无聊，我们一起去公园吧！

我妈说我是最漂亮的小公主。
可为什么易佰分同学不关注我呢？
小梦，不要勉强自己。
哼，让我来挫挫他的锐气。
发奋图强
数学课代表，非我莫属！

老实点，快做作业，我抱弟弟出去散散步！

饭桌上有卤鸡腿和巧克力，你饿了自己去拿啊！
哇——
小梦！那你就陪弟弟玩吧！

哐
但也要完成作业，
知道吗？
好好！你倒是让我
说句话啊！
我想吃很辣的
鸡腿！
那你
帮我
做作
业！

成交!

第十话 我要当课代表（下）

三年级四班
各位同学，关于昨天的数独作业……
数学
好紧张！
第一次当数学课代表！
以后有好多机会和李老师单独相处！
紧张！

易佰分同学完成得最好，
大家为他鼓掌！

为什么不是我！
我好受伤！

嗒 嗒
经典名单
夏小梦同学，这个就是你的数学作业吗？
下次一定要认真对待老师布置的作业哦！

李老师好温柔哦！
好希望李老师是我的哥哥啊！
蠢
装错的作业
蠢

三年级四班
丁零零
易佰分，你跟我来一下办公室。
好的，老师。

易佰分同学，你的作业是你独立完成的吗？
是的，老师！
我来问你几个问题。
嗯。

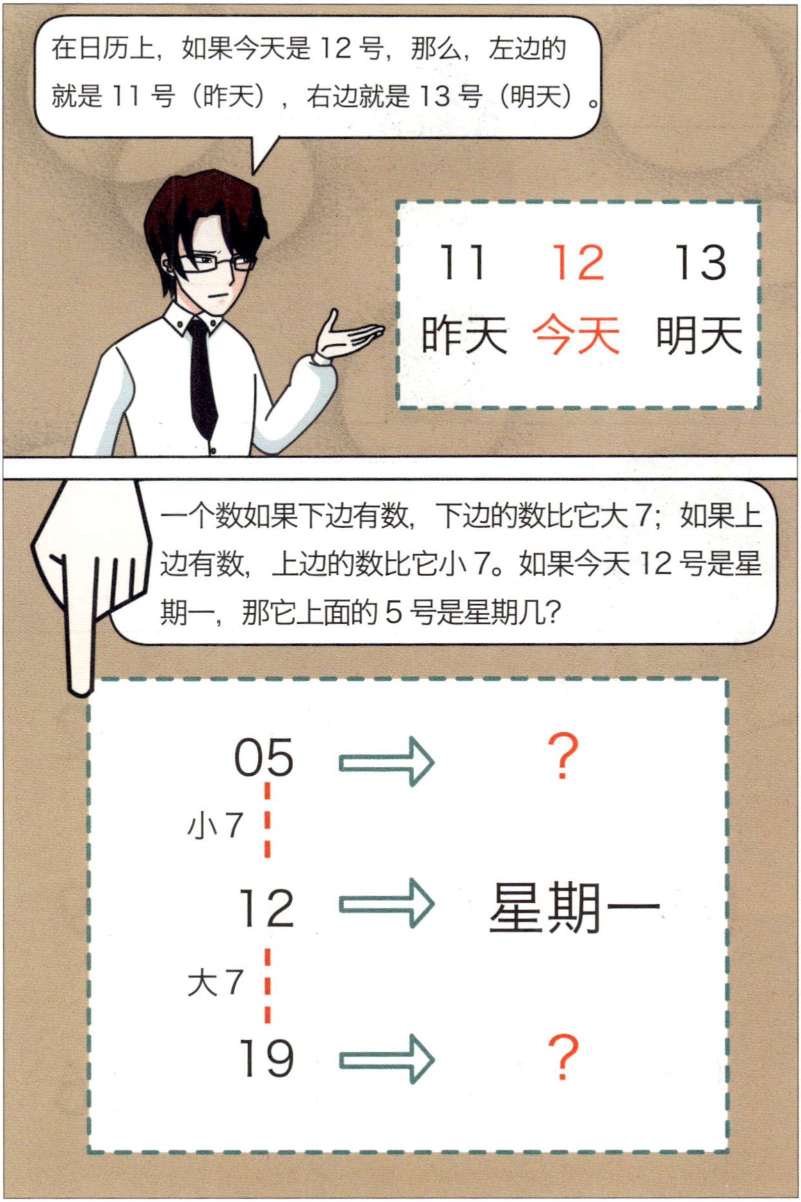
在日历上，如果今天是 12 号，那么，左边的就是 11 号（昨天），右边就是 13 号（明天）。
11 12 13
昨天 今天 明天
一个数如果下边有数，下边的数比它大 7；如果上边有数，上边的数比它小 7。如果今天 12 号是星期一，那它上面的 5 号是星期几？
05 ?
小 7
12 星期一
大 7
19 ?

上周的星期一啊，比 12 号早 7 天。
它下面的 19 号就是下周的星期一，比 12 号晚 7 天。
它左右相邻的两个数看过了，上下相邻的两个数也看过了。那上下左右相邻的 4 个数有什么关系呢？
01 02
06 07 08 09
13 14 15 16

9 －1 = 8
15－7 = 8
7 －1 = 6
15－9 = 6
为什么右下角的数比左上角的数总是多 8 呢?
07 +1 08 −1 09
8=7+1 +7 6=7−1
15
右边多 1，下边多 7，右 而 且 下，1+7=8；左下角的数比右上角的数总是多 6，下而且左，7 － 1=6。

非常正确！
嘿嘿
嘿嘿
天呐！我疯了吗？居然是夏小梦教我的！

再算一算，
1+9=2+8，7+15=8+14，
11+19=12+18，9+17=10+16
为什么一个方块里对角两数之和总相等呢?
这还不简单?
我终于找到你了。
老师，您……

得来全不费工夫
真是踏破铁鞋无觅处
你就是慧之天神的寄主!

老师，您……您……
您在讲什么？
哈哈，终于找到了。
放开
主人，我马上就要帮您完成您的伟业了！

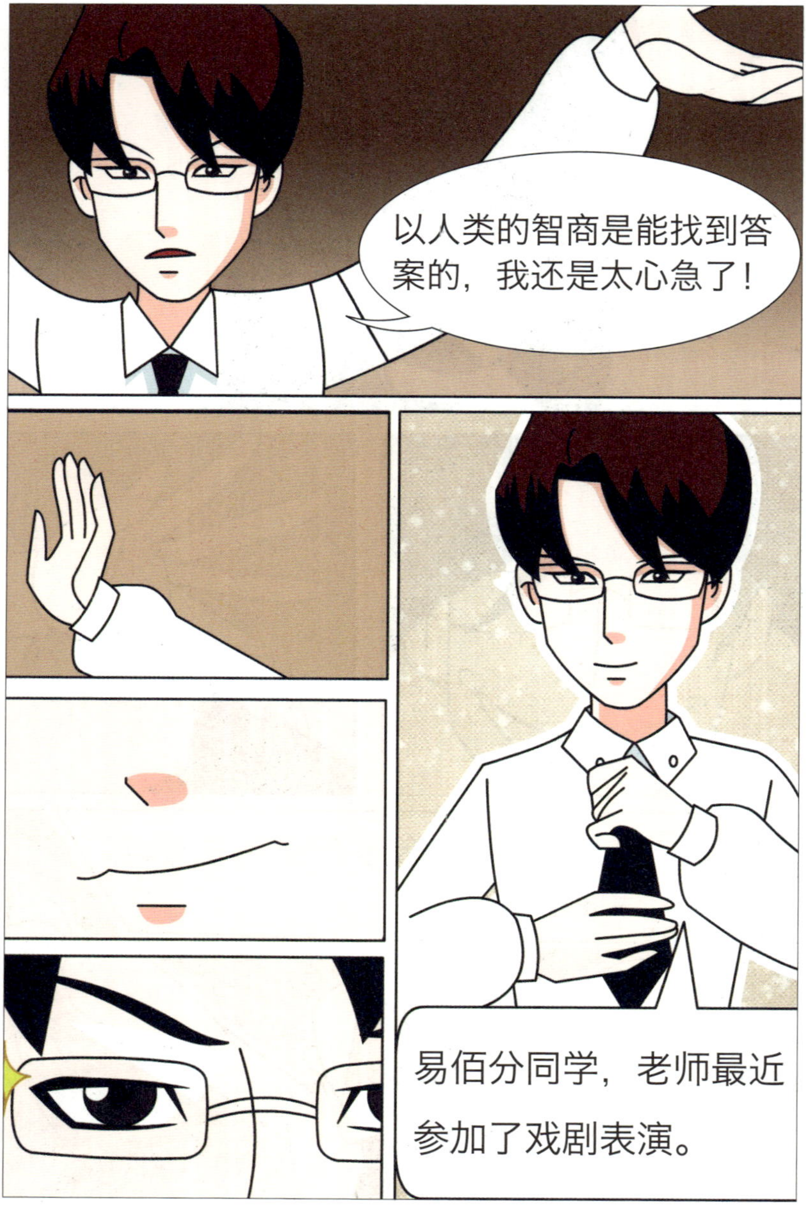
以人类的智商是能找到答案的，我还是太心急了！
易佰分同学，老师最近参加了戏剧表演。

刚刚在练习呢！
老师相信你能胜任数学课代表，加油！
好的，老师。

番外篇
蚩尤盘踞住地
《阅微草堂笔记·
如是我闻一》：
“鸺鹠岁久能人语，
魍魉山深每昼行。”
——清·纪昀
魍魉
魑魅

迅猛如风
随影而动
蚩尤得力手下

蚩尤殿
啪！

大人，是在下失职。

没能保护好哥哥。

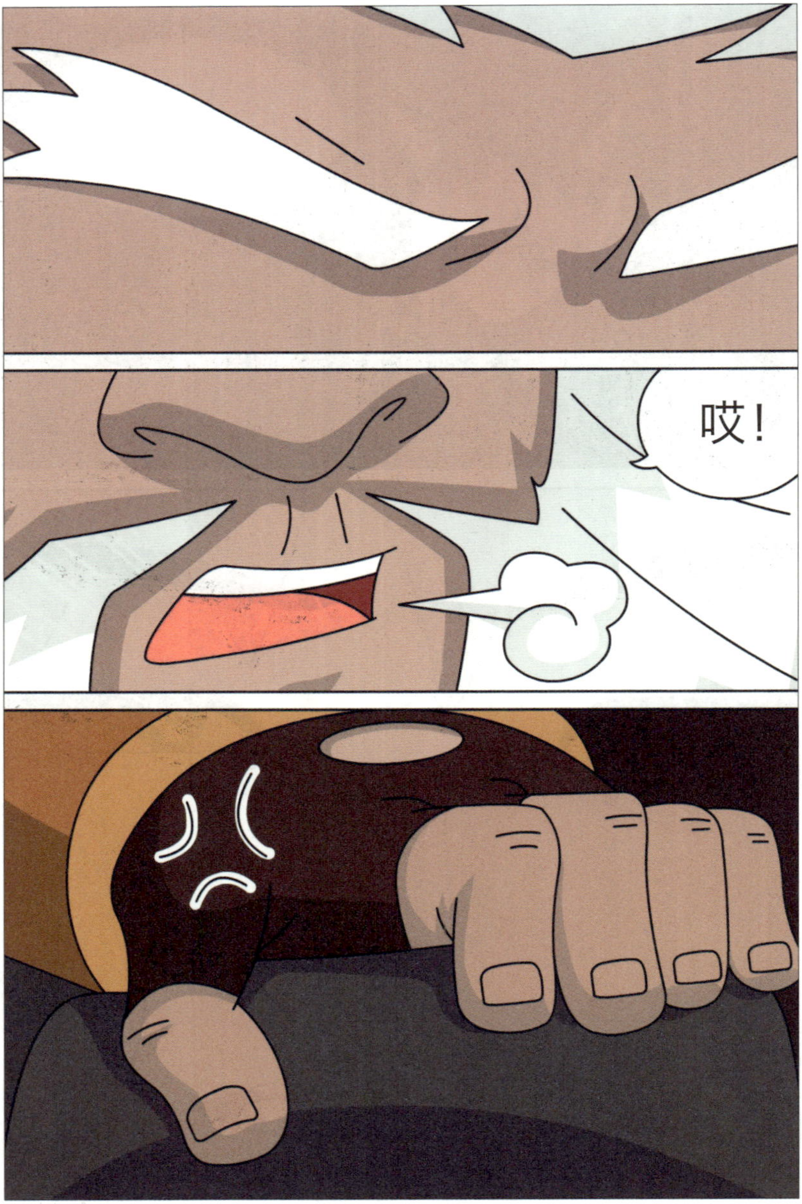
哎!

折此大将，我感到很遗憾。
是我保护不周，请大王恕罪。

不过，魑魅以命从仓颉手里换来伏羲留下的圣物。
也算值得。

……可是

皇帝之丞仓颉，仰观天象，俯察万物。

皇帝大臣力牧
执千钧之弩，
驱羊万群。
只凭你二人之
力，实在无法
与其抗衡。
此仇非报不可。

稍作休息，继续赶路。
是。
是。

好凉快！

噗
昨天黄豆吃太多了。

真是忍不了。

缠身！

奇怪，怎么动不了了？
这招式，难道是魍魉？

我今日就要报仇雪恨！

大人！

不好！
下次就没这么
幸运了！

别掉以轻心。
他日定会拼个你死我活。

影遁！

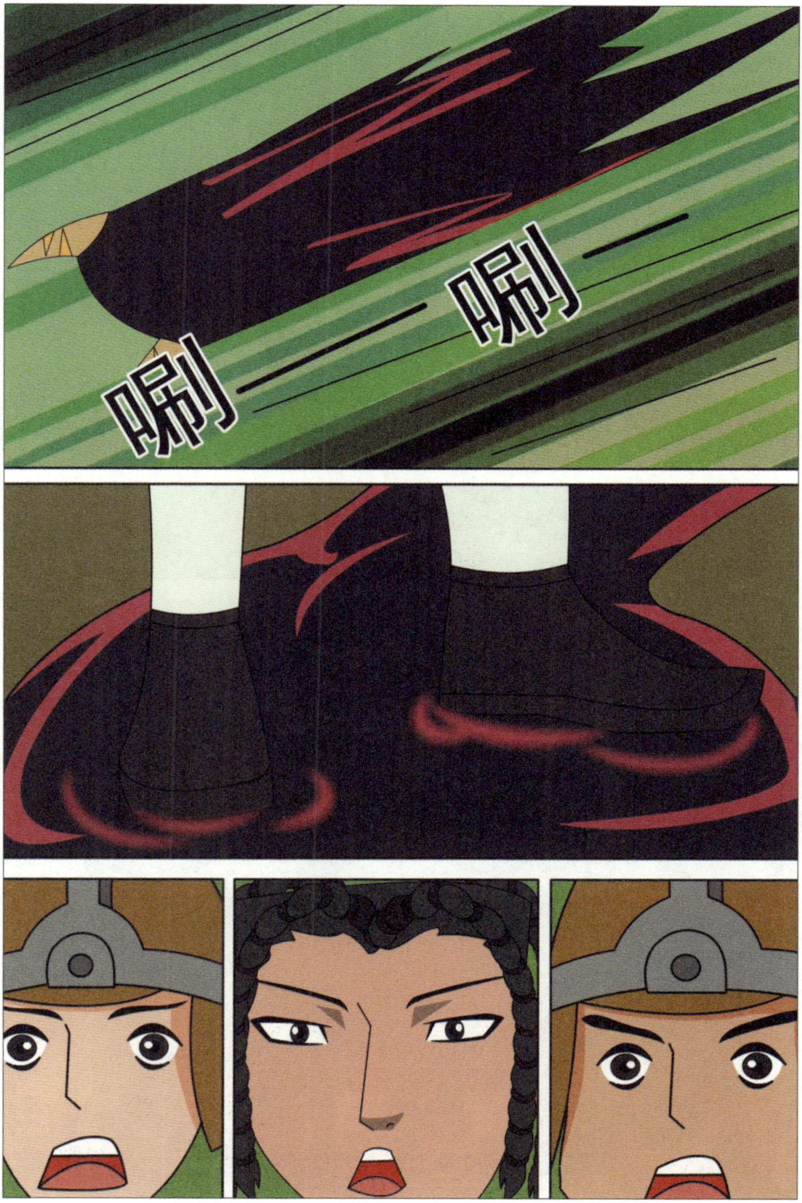
唰——
唰——

力牧大人！
力牧大人！

力之元神！
赐我开天辟地的力量吧！
硬化！

吼噢！
吼噢！

放开我！
哼！

哼！和你哥
一样不中用。

哼，小样，敢跟我们大人斗！
大人真厉害！
害我之人必死无疑！

举起
嗯?